AFGESCHREVEN

MET HET OOG OP

SPANJE

Catherine Chambers en Rachel Wright

Corona

Een imprint van Ars Scribendi Uitgeverij

⚠ Dit symbool staat op een aantal pagina's van dit boek. Het betekent dat je een volwassene moet vragen om je even te helpen.

STICHTING NEDERLANDSE
KINDERJURY
2005

© 2003 Franklin Watts, London
Oorspronkelijke title Country topics: Spain
© 2005 *Nederlands Taalgebied*
Ars Scribendi BV, Etten-Leur, NL

Productie De Laude Scriptorum BV,
Etten-Leur, NL
Vertaling Eduard J. Richter
Zetwerk Intertext, Antwerpen, België

ISBN 90-5566-123-6

Voor vragen over de uitgaven van Ars Scribendi BV kunt u zich wenden tot de uitgever: Postbus 628, 4870 AP Etten-Leur, of onze website raadplegen:
www.arsscribendi.com.
De uitgever houdt zich niet verantwoordelijk voor fouten of misvattingen.

INHOUD

Inleiding

S panje is het op één na grootste land van West-Europa met een oppervlakte van 505.990 vierkante kilometer, inclusief de eilandengroepen Balearen en Canarische Eilanden. De hoofdstad is Madrid, dat in het midden van het land ligt. Spanje grenst aan Frankrijk, Portugal en Gibraltar.

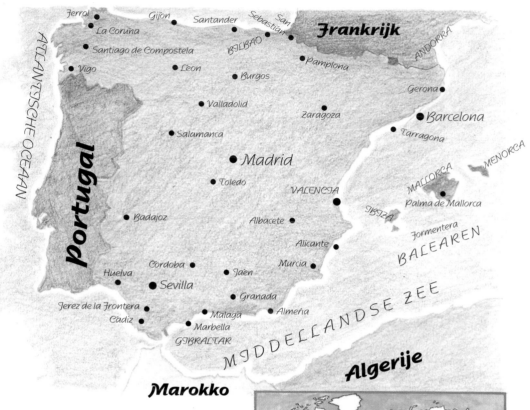

SPAANSE POSTZEGELS

O p de meeste Spaanse postzegels staat koning Juan Carlos afgebeeld, de huidige koning. Elke postzegel heeft een andere kleur – sommige zijn roze, andere blauw.

> De afbeeldingen op de bankbiljetten moeten de openheid van de Europese Unie uitstralen.

GELD, GELD, GELD

N et als in Nederland betaal je in Spanje met de *euro*. De euro verving op 1 januari 2002 de Spaanse *peseta* als nationale munteenheid. Behalve in Nederland en Spanje kun je met de euro ook in tien andere Europese landen betalen, zoals in Frankrijk, België en Duitsland. Op de 'kop' of nationale kant van elke munt staat een verschillende afbeelding gedrukt, afhankelijk van het land waar de munt gedrukt is.

Een euro is verdeeld in 100 centen. Er zijn behalve munten van 1 en 2 euro ook munten van 1, 2, 5, 10, 20 en 50 cent. Bankbiljetten zijn er in de waarde van 5, 10, 20, 50, 100, 200 en 500 euro. In Finland hebben ze overigens de munten van 1 en 2 cent afgeschaft, en in veel andere landen worden bedragen in supermarkten steeds vaker afgerond op bedragen van 5 cent.

REGERING

De koning van Spanje is het staatshoofd, hij bekleedt vele ceremoniële functies. Het Spaanse parlement, de *Cortes Generales*, bestaat uit twee kamers – het Congres van Afgevaardigen en de Senaat. De minister-president wordt door het Congres gekozen. Deze kiest op zijn beurt de andere ministers die vervolgens door de koning worden benoemd.

Het hedendaagse democratische systeem bestaat sinds 1975. In dat jaar overleed de Spaanse dictator generaal Franco, die Spanje 36 jaar lang had geregeerd, en stelde de Spaanse koning de weg open voor een parlementaire democratie.

HET SPAANSE VOLKSLIED

De *Marcha Reál*, Koninklijke Mars, is het Spaanse nationale volkslied. In de 16de eeuw werd dit volkslied ingesteld door de Habsburgers, de Oostenrijkse koninklijke familie die van 1504 tot 1700 Spanje zouden regeren. Niemand weet wie de componist van het volkslied is, maar net als de Spaanse vlag heeft het vele verschillende regeringen overleefd.

NUMMERBORDEN KIJKEN

Je kunt aan de eerste letter(s) op de nummerborden in Spanje zien uit welke streek een auto komt. De groene auto op het plaatje komt bijvoorbeeld uit Barcelona. Dit zijn enkele voorbeelden:

SA Salamanca
M Madrid
MA Málaga
BI Bilbao
S Sevilla

DE SPAANSE VLAG

Deze fel gestreepte vlag is al sinds 1785 het symbool van de Spaanse eenheid. De rode en gele banen representeren de oude katholieke koninklijke families uit Castilië en Léon. De vlag is in de loop der jaren maar weinig veranderd.

Zeg het in het Spaans
la bandera – vlag
el país – land
el coche – auto
la oficina de correos – postkantoor
el sello – postzegel
el banco – bank
el dinero – geld

Een rondje Spanje

Spanje is een land van bergen, moerassen, bossen en woestijn, en een grote open vlakte. Het is één land, maar bestaat uit 17 autonome regio's, heeft drie officiële talen en kent een mengelmoes van verschillende land-schappen en architectuur.

Gemiddelde temperaturen

Plaats	Januari	Juli
Madrid	5°C	25°C
Sevilla	10,5°C	29°C
Barcelona	8°C	23,5°C

KLIMAAT EN LANDSCHAP

Het eerste wat opvalt als je door Spanje reist is de verandering van het klimaat. In het noorden zorgt de Atlantische Oceaan voor stormachtig en koud weer in de winter, en warme regenachtige zomers. Het zuiden van Spanje heeft te maken met de droge verschroeiende wind uit Noord-Afrika, die slechts wordt afgekoeld door de smalle zeestrook tussen Spanje en Afrika.

Het Oosten van Spanje staat onder invloed van de Middellandse Zee. De winters zijn daar zacht en nat terwijl de zomers warm en soms zelfs heet zijn.

De grote hoge bergplateau's in het midden van Spanje, de Spaanse hoogvlakte of Meseta genoemd, worden voortdurend geteisterd door sterke luchtstromen die in de zomer hete droge lucht aanvoeren maar in de winter zorgen voor bijtende kou. Dan zijn de vlaktes vaak gehuld in een dikke mist.

Een warm en vochtig klimaat en de vruchtbare vulkaangrond zorgen er samen voor dat op de Canarische Eilanden overvloedige tropische plantengroei voorkomt.

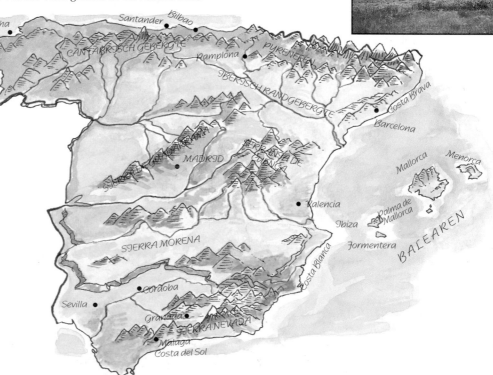

Er zijn bergruggen in het noorden en zuiden van het land. De temperatuurverschillen zijn erg groot, van sneeuw op de bergtoppen tot een erg hete zon aan de voet van de bergen. In het Sierra de Gúdar, ten noorden van de stad Valencia, ligt acht maanden van het jaar sneeuw.

Je kunt vele wilde dieren tegenkomen in de meest verlaten delen van Spanje. Lynxen, wolven, wilde katten, beren, wilde zwijnen en adelaars zijn voorbeelden van dieren die vrij leven in dit land.

Vruchtbare groene velden vind je het meest in het noorden van Spanje. In het zuiden overheersen de palmbomen, sinaasappelboomgaarden en olijfgaarden.

De Balearen hebben een vergelijkbaar klimaat als de Middellandse Zeekust van het Spaanse vasteland. De kust is grillig door de vele kleine baaien en rotsachtige formaties. In de binnenlanden geuren eucalyptusbossen en wilde tijm de lucht.

KASTELEN EN BIJZONDERE BOUWWERKEN

In Spanje zijn meer dan 10.000 kastelen. De meeste kun je vinden in de regio's Castilië-León en Castilië-La Mancha. Romeinse bruggen verbinden de oevers van de zeven grootste rivieren van Spanje, en Romeinse aquaducten zorgen er nog steeds voor dat hete en droge stadjes voorzien worden van water. Er zijn duizenden kerken, gebouwd en versierd in stijlen met grote namen als *churriguereske*.

Verspreid over het grootste deel van Spanje, maar vooral in Barcelona, liggen huizen, kantoren en restaurants die zijn ontworpen door Antonio Gaudí, een 19de eeuwse architect. Voor Mérida, een stad die oorspronkelijk gebouwd werd voor gepensioneerde Romeinse soldaten, heeft de moderne architect José Rafael Moneo een enorm Museum voor Romeinse Kunst ontworpen.

TAAL EN LAND

Spaans, of Castiliaans, is de belangrijkste gesproken taal in Spanje. De twee andere officiële talen zijn het Catalaans in Catalonië (noordoosten van Spanje) en het Baskisch in Baskenland (rond de steden Bilbao en San Sebastián). In Galicië (in het noordwesten van Spanje) wordt soms nog Galicisch gesproken. Al deze regio's hebben ook hun eigen vlag. De bekendste is de vlag van Baskenland met zijn rode, groene en witte kleuren.

Zeg het in het Spaans
el verano – zomer
l invierno – winter
la lluvia – regen
el sol – zon
la playa – strand
la montaña – berg
el lenguaje – taal
el castillo – kasteel
la iglesia – kerk

Eten en Drinken

De grote verscheidenheid aan voedsel in Spanje is een uitvloeisel van het gevarieerde klimaat en van de verschillende bevolkingsgroepen die zich door de eeuwen heen in Spanje hebben gevestigd.

BELANGRIJKE INGREDIËNTEN

Tomaten, pepers, uien, knoflook en saffraan zijn ingrediënten waar elke Spaanse kok niet zonder kan. Saffraan (*rechts*) werd door de Arabieren geïntroduceerd en wordt gekookt met vlees of rijst, in soep gedaan of zo over een salade gestrooid.

LANDBOUW EN VISSERIJ

Spanje verbouwt het meeste voedsel dat het nodig heeft zelf, zoals appels, kersen en walnoten in het noorden, granen op de vlaktes en sinaasappels, olijven, amandelen en rijst in het zuiden.

Varkens lopen vrij rond in de velden, knabbelend op eikels van de steeneik. Spanjaarden kunnen niet zonder varkens omdat varkensvlees het belangrijkste ingrediënt is in heerlijke kruidige worsten.

Gezouten hammen worden in winkels en bars opgehangen, soms vele jaren voordat ze verkocht worden.

Verse vis wordt gevangen langs de gehele Spaanse kust en in de rivieren. Paling is een dure lekkernij.

EETGEWOONTEN

Het ontbijt vindt in Spanje vroeg plaats omdat veel mensen al bij dageraad naar hun werk gaan. De lunch kan soms wel twee of drie uur duren en kan uit meerdere gangen bestaan. Het avondmaal wordt vaak niet voor 10 of 11 uur 's avonds gegeten.

Het ontbijt bestaat meestal uit toast, *churros* (gefrituurde deegstengels), of broodjes en pasteitjes. Deze worden weggespoeld met hete chocolademelk, melk of koffie.

MENU

Cocido Madrileño – *een heerlijke stoof-schotel uit Madrid*

Angulas a la Bilbáina – *babypaling in knoflooksaus uit Baskenland*

Escalivada – *gegrilde paprika's, aubergines, tomaten en uien uit Catalonië*

Paella a la Valenciana – *een mengsel van rijst, konijn, slakken en tuinbonen uit Valencia*

Tijdens de lunch en het avondeten gaan de Spanjaarden vaak uit eten in cafés of restaurants. Veel mensen gaan naar bars waar ze kleine snacks eten, genaamd *tapas*, die op de toonbank zijn uitgestald. Op zondag gaan Spaanse families vaak picknicken.

In elke regio van Spanje wordt wijn geproduceerd, en Spanje is één van 's werelds grootste exporteurs van wijn en sherry. In het noorden is appelwijn erg populair. Sommige frisdranken die je vast weleens wilt proberen zijn de frisse citroen-drankjes, de rijk gevulde vruchtendranken en de *horchata*, zoete amandelmelk.

BOODSCHAPPEN DOEN EN UIT ETEN GAAN

In Spanje kun je je dagelijkse boodschappen doen in enorme, moderne supermarkten of in kleine buurtwinkeltjes. Maar de meeste mensen gaan het liefst boodschappen doen op de open of overdekte markten. Hier kopen ze vers fruit en groentes, kazen en worsten van de streek, en wilde konijnen en gevleugeld wild.

Boodschappenlijstje

el pan – brood
la leche – melk
la fruta – fruit
las legumbres – groenten
el azúcar – suiker
el pescado – vis
el queso – kaas
el café – koffie
el vino – wijn
el jerez – sherry

Zeg het in het Spaans

el supermercado – supermarkt
la carnicería – slager
la mantaquería – kruidenierswinkel
el desayuno – ontbijt
el almuerzo – lunch
la cena – avondeten
La panadería verkoopt alleen brood.
La pastelería verkoopt gebakjes, koekjes en zoete ontbijtbroodjes.
La verdulería verkoopt fruit en groenten.

Snoep uit Spanje

Als je veel van zoetigheid houdt, dan is *turrón* echt iets voor jou. Turrón is een soort noga, gemaakt van honing en amandelen, die door de Spanjaarden traditioneel tijdens de kerst gegeten wordt als toetje. Er zijn vele soorten *turrón* in Spanje. Sommige zijn zacht, zoals marsepein, andere zijn hard en krokant. De in de winkel verkochte *turrón* wordt vaak genoemd naar het deel van Spanje waar het gemaakt is. De knapperige soort is bekend als de *Turrón Alicante*. De zachtere soort wordt vaak *Turrón Jijona* genoemd.

Zelf *Turrón Jijona* maken ⚠️

Vraag een volwassene om je te helpen!

1. Bekleed de schaal met bakpapier en zet hem opzij.

Je hebt nodig:

- keukenmachine
- grote beslagkom
- kleine kom
- halve citroen
- middelgrote steelpan
- 225gr suiker
- 225gr honing
- garde
- 5 eieren
- lange houten pollepel
- scherp mes
- bakpapier
- ondiepe schaal
- 225gr hazelnoten
- 225gr blanke amandelen

2. Rooster de amandelen en hazelnoten ongeveer twee minuutjes licht onder de gril. Roer de noten tijdens het roosteren om te voorkomen dat ze verbranden.

3. Doe de noten in de keukenmachine en maal ze fijn.

4. Zorg ervoor dat de beslagkom droog en vetvrij is. Scheid de eidooier voorzichtig van het eiwit en doe het eiwit in de beslagkom. Doe de eidooiers in een andere kom om ze te bewaren – daar kun je later nog een ander gerecht mee maken, bijvoorbeeld een omelet.

5. Klop het eiwit met een garde tot het stijf is. Voeg nu de noten toe en roer voorzichtig.

6. Doe de honing en de suiker in het steelpannetje en breng dit al roerend aan de kook.

7. Zet het vuur laag. Doe de notenmix bij de honing en suiker en roer dit 10 minuten lang *onophoudelijk* om te voorkomen dat het aanbrandt.

8. Haal de pan van het vuur en schep het beslag in de schaal. Gebruik de halve citroen om de mix gelijkmatig te verdelen en zet daarna de schaal weg om het beslag goed af te laten koelen.

9. Als je *turrón* stijf is en helemaal is afgekoeld kun je 'm in partjes snijden om zo te eten, of in hele kleine stukjes snijden om bij vanille-ijs als toetje te eten.

Eén van de soorten *turrón* is gemaakt met zwart gekleurde suiker. Het verhaal gaat dat in de nacht van 6 januari de Drie Koningen uit het kerstverhaal de huizen van kinderen die zich het voorgaande jaar slecht hebben gedragen bezoeken en daar voor hen deze op kolen lijkende *turrón* achterlaten als cadeautje.

Het leven in Spanje

WAAR WONEN DE SPANJAARDEN?

Meer dan driekwart van de Spaanse bevolking woont in de stad, voornamelijk in appartementen in grote flatgebouwen. Op het platteland wonen families in huizen van wit-geverfde klei of stenen.

In bergachtige gebieden zijn de huizen gebouwd in een Tirolerstijl. Meer naar het zuiden, in Castilië-León, kun je complete dorpen vinden vol fel rode huizen gemaakt van aarde die in de hete zon gebakken is.

Oude en nieuwe huizen in Casares aan de Costa del Sol.

Grotwoningen in Guadix, ten oosten van Granada.

In het zuiden hebben de huizen dikke muren en kleine ramen zodat het in de zomer lekker koel blijft en in de winter de koude wind niet binnenkomt. De buitenmuren worden jaarlijks wit geverfd om de hete zonnestralen te reflecteren.

Sommige mensen die in de zandstenen heuvels wonen hebben hun huizen uitgehakt uit de heuvels. De voorzijde van een grotwoning lijkt net een gewoon huis.

IN DE VROEGE MORGEN

In de vroege morgen let de speciale verkeerspolitie op de lange stoet auto's van mensen die naar hun werk gaan. Als je in Spanje bent kun je verschillende politie-uniformen zien. In Baskenland draagt de politie bijvoorbeeld een rode baret.

VRIJE TIJD

Kranten en tijdschriften worden voornamelijk verkocht in kiosken op straat. *El Pais* brengt het laatste nieuws, terwijl tijdschriften als *Hola!* de nieuwste roddels verspreiden. Bij andere kiosken op straat kopen mensen loterijkaartjes. Honderdduizenden Spanjaarden kopen dagelijks een lot!

De afgelopen tien jaar is de televisie het belangrijkste vermaak geworden van de Spaanse families. Vooral spelletjes en grote showprogramma's zijn erg populair.

NAAR SCHOOL

School begint om 8 uur 's ochtends en gaat niet dicht voor 5 uur 's middags, maar er is wel een lange middagpauze van 1 uur tot 3 uur, als veel kinderen naar huis gaan om te eten.

Het Spaanse onderwijs probeert de kinderen op te leiden voor de moderne wereld. Techniek en informatica zijn tegenwoordig normale vakken op school. Als de leerlingen 16 jaar zijn kunnen ze stoppen met leren of doorgaan naar een beroepsopleiding. Sommige leerlingen gaan naar de universiteit of hogeschool.

In juni gaan alle scholen voor ongeveer 10 weken dicht voor de zomervakantie.

Het rooster op de middelbare school

por la mañana ('s ochtends)	
8-9	las matemáticas (wiskunde)
9-10	el francés (Frans)
10-11	la historia (geschiedenis)
11-12	la geografia (aardrijkskunde)
12-1	la ciencia (natuurkunde)
1-3	el almuerzo (lunch)

por la tarde ('s middags)	
3-4	el inglés (Engels)
4-5	la educacíon física (gym)

WERK

In Spanje werken meer mensen in de auto-industrie dan welke industrie dan ook. Steeds meer mensen zijn naar de grotere steden verhuisd op zoek naar werk, maar in de kuststreken werken nog veel mensen als visser, Spanje heeft één van de grootste visserijvloten van Europa. Op het platteland verbouwen boeren onder andere producten voor de export.

Voor de kust van Spanje worden ansjovis, zeebaars, sardines en schelpdieren gevangen. Maar in Barcelona zijn zeekomkommers een speciale lekkernij.

Zeg het in het Spaans

la casa – huis
el apartamento – appartement
la escuela – school
la policía – politie
el periódico – krant
la revista – tijdschrift
las vacaciones – vakantie
la televisíon – televisie

Eeuwenlang stond Spanje bekend om de mijnbouw, landbouw, aardewerk en textiel. Tegenwoordig hebben moderne machines en technieken ertoe bijgedragen dat de ontwikkeling van fabrieken en de voedselindustrie in Spanje is toegenomen.

HET LAND VAN GOUD

De Arabieren, die het land in de 8ste eeuw veroverden, noemden Spanje *El Dorado* (het land van goud). Dit was omdat de Iberiërs, het eerste volk dat Spanje bewoonde, goud en zilver uit mijnen dolven. In het noorden van Spanje worden nu nog kolen en ijzererts gedolven.

De laatste veertig jaar heeft Spanje vooral geld verdiend aan het toerisme. Dit geld is voornamelijk gebruikt om de industrie te ontwikkelingen. Spanje is één van de grootste autofabrikanten ter wereld en exporteert meer auto's dan elk ander West-Europees land.

Spanje exporteert ook veel textiel, waaronder wollen kleding. Het merinoschaap, dat wereldwijd bekend staat om zijn lange, zachte wol, werd voor het eerst in Spanje gefokt. Er is in Spanje een groeiende kledingindustrie, met modehuizen in Madrid en Barcelona.

De voedselindustrie

De Romeinen gebruikten Spanje om voedsel te produceren voor hun thuisland Italië, en sindsdien is Spanje een export-land voor voedsel gebleven. Ingeblikt fruit en vis, flessen wijn en sherry, en olijfolie worden over de hele wereld verkocht. Tomaten en aardbeien worden volgens de modernste methodes gekweekt zodat ze vroeg in het seizoen verkocht kunnen worden in Noord-Europa.

Kurk wordt gemaakt van de bast van de kurkeik die in het zuiden van Spanje groeit.

De zoete sinaasappels worden niet alleen gegeten en geperst of voor jam gebruikt. De geurige oliën worden ook gebruikt in parfums en zeep.

De Europese Unie

In 1986 trad Spanje toe tot de Europese Gemeenschap die inmiddels Europese Unie (EU) heet. De EU heeft Spanje gesteund om de armere regio's te ontwikkelen door geld te investeren. Maar nog steeds vormt werkloosheid een groot probleem in Spanje.

Zeg het in het Spaans
el oro – goud
la lana – wol
el cuero – leer
los vestidos – kleren
el corcho – kurk
la naranja – sinaasappel
la fábrica – fabriek

Spaanse Sinaasappelen

Je hebt nodig:

plakband

middelgrote papieren zak

stuk lint van dezelfde breedte als het plakband

twee theelepels gemalen kaneel

Een verse, stevige sinaasappel

cocktailprikker   kruidnagels

een eetlepel iriswortelpoeder (te koop in speciaalzaken of gezondheidswinkels)

Eén van de makkelijkste manieren om de heerlijke geur van een sinaasappel te behouden en ervan te genieten is door er een geurappel (pomander) van te maken.

WAARSCHUWING: het duurt ongeveer vijf weken voordat een geurappel goed gedroogd is, je moet dus wel wat geduld hebben!

1. Wikkel het plakband rond de sinaasappel zoals op het plaatje staat.

2. Prik gaatjes in de schil met de cocktailprikker en steek in elk gaatje een kruidnagel met de scherpe kant naar binnen. Bekleed alle vier de delen van de sinaasappel op dezelfde manier met kruidnagels.

3. Doe de kaneel en het iriswortelpoeder in de papieren zak. Schud de zak zodat de twee poeders goed mengen. Doe de sinaasappel in de zak en blijf schudden tot de sinaasappel volledig bedekt is door het poedermengsel. (Het iriswortelpoeder zorgt ervoor dat je de geur van de sinaasappel en de kaneel langer blijft ruiken.)

4. Bewaar de sinaasappel ongeveer vijf weken in de zak op een warme, droge plaats.

5. Haal na vijf weken de sinaasappel uit de zak. Blaas het overgebleven poeder weg en verwijder het plakband. Bind het lint over de lijnen waar het plakband zat en hang je geurappel in je kledingkast. De geurbal zorgt ervoor dat je kleren heerlijk fruitig gaan ruiken...en weren hongerige motten!

Sport

Spanje was in 1992 gastheer van de Olympische Zomerspelen, die gehouden werden in Barcelona. Tijdens de Olympische Spelen van 2004 in Athene won Spanje in totaal 19 medailles, waaronder 3 gouden.

BEROEMDE NAMEN

Tennis is één van de populairste sporten in Spanje. Tennissers als Carlos Moya, Albert Costa en Tommy Robredo behoren tot de wereldtop. Ook fietsen is erg populair. De *Vuelta a España*, Ronde van Spanje, werd in 2004 gewonnen door Roberto Heras. Een nieuwe held is de Formule 1 coureur Fernando Alonso, die in 2005 voor het team van Renault zal rijden. Een andere beroemde sporter is de golfspeler Sergio Garcia.

ALLEEN VOETBAL?

Voetbalclubs als Réal Madrid, Barcelona en Valencia zijn over de hele wereld bekend. Deze teams trekken miljoenen supporters. Maar het voetbal was in Spanje ooit meer dan alleen een spel. Tijdens de dictatuur van Generaal Franco was het verboden om politieke bijeenkomsten te organiseren. De Basken, Catalanen en Galiciërs werden ontmoedigd om hun eigen cultuur en talen te behouden en ontwikkelen. Daarom werden de voetbalclubs het symbool van hun regio's en boden de teams hun supporters zo de kans om hun trots over hun cultuur te tonen.

PLEZIER EN SPEL

In Baskenland wordt een uniek spel, *jai alai* of *pelota vasca*, gespeeld. Het is een snel balspel waarbij een bal met een soort rieten schepje dat aan een handschoen bevestigd is, de *chistera*, tegen een hoge houten of betonnen schutting, de *fronton*, wordt geslagen.

Het verkeer wordt vaak omgeleid of tegengehouden vanwege een hardloopwedstrijd of een wielerkoers.

Zeg het in het Spaans

el fútbol – voetbal
el tenis – tennis
el golf – golf
la bicicleta – fiets
la bola – bal
la piscina – zwembad

Toeristische Attracties

Rond de <u>60 miljoen toeristen</u>, vooral uit Nederland, België, Duitsland, Italië, Frankrijk, Groot-Brittannië, Portugal en de Scandinavische landen, brengen jaarlijks een bezoek aan Spanje. Velen luieren op de hete, zanderige stranden, of zwemmen in de warme zee. Maar er zijn ook vele interessante plaatsen om te bezoeken, van bergtoppen tot monumenten.

RONDREIZEN

Spanje heeft veel nieuwe wegen moeten aanleggen om de ontwikkeling bij te kunnen houden.

De spoorwegen zijn ook gemoderniseerd. Een nieuwe hogesnelheidstrein, *Ave* (Vogel), reist nu in slechts drie uur van Madrid naar Sevilla, een afstand van meer dan 400 kilometer. Hierdoor worden steeds meer gebieden in Spanje toegankelijk voor toeristen.

Vliegreizen zijn erg belangrijk in Spanje. De drie grootste luchthavens bevinden zich in Barcelona, Madrid en Palma de Mallorca. Iberia is de grootste Spaanse luchtvaartmaatschappij.

DE BETONNEN KUST

Veel toeristen trekken naar de grote badplaatsen tussen de Costa Brava in het noorden en de Costa del Sol in het zuiden. Hoge hotels, cafés, restaurants en discotheken bepalen hier de kustlijn. De toeristenindustrie zorgt ervoor dat honderdduizenden Spanjaarden een baan hebben.

Maar er zijn ook stillere en minder bekende gebieden om naar toe te trekken. De Costa de la Luz in het zuiden, vlakbij de Portugese grens, en de rotsachtige kustlijn van Galicië en Asturië in het noorden zijn nog grotendeels vrij van grote toeristencentra.

WINTER IN DE ZON

Eén van de meest populaire wintersportbestemmingen is Navacerrada dat ten noorden van Madrid in het Guadarrama gebergte ligt. Wintersportvakanties zijn in Spanje meestal goedkoper dan in Frankrijk, Oostenrijk of Zwitserland.

Bekende zonbestemmingen zijn het Baleareneiland Mallorca en de Canarische Eilanden. Sommige toeristencentra op de Canarische Eilanden zijn echter zoveel gericht op het toerisme dat ze het oorspronkelijke Spaanse karakter verloren hebben. Bestemmingen als Tenerife (*zie hieronder*) hebben daardoor een veel internationaler uiterlijk gekregen.

DE GESCHIEDENIS VERKENNEN

Er is in Spanje veel te zien van het rijke verleden van het land. Vele eeuwen lang trekken al pelgrims naar de kathedraal in Santiago de Compostela in Galicië. Hier zou de apostel Jakobus begraven liggen. Het is het belangrijkste heiligdom van het katholieke geloof na de Basiliek van Sint Pieter in Rome.

Er zijn ook geweldige kastelen, zoals Calatrava en Siguenza in Castilië-La Mancha. Andere belangrijke trekpleisters zijn de *La Mezquita*, een voormalige moskee, in Córdoba en de Santa María kathedraal in Sevilla, allebei voorbeelden van de exotische Arabische architectuur.

Zeg het in het Spaans
el hotel – hotel
el restaurante – restaurant
esquiar – skiën
la catedral – kathedraal
el ferrocarril – spoorweg

Kunst

Spanje is een land met een rijk mengeling van volkeren en tradities, waardoor er een grote verscheidenheid aan kunst, muziek en literatuur is ontstaan.

EL GRECO (1541-1614)
Een schilder van schitterende religieuze werken, met een zeer intense en persoonlijke stijl (*zie hieronder*).

FRANCISCO DE GOYA (1746-1828)
Een 18de-eeuwse kunstenaar die de kunstwereld verraste met zijn afbeeldingen van stierengevechten en politieke taferelen. Hij was ook een zeer begaafde portretschilderaar.

PABLO PICASSO (1881-1973)
Misschien wel de beroemdste Spaanse kunstenaar. Hij was de eerste die volgens de kubistische stijl schilderde. Zijn bekendste werk is waarschijnlijk *Guernica*, een verbeelding van het gruwelijke bombardement in 1937 op deze Spaanse stad.

SALVADOR DALÍ (1904-1989)
Ook van deze beroemde schilder lijken de afbeeldingen op het schilderij niet op het alledaagse leven. Zijn stijl van schilderen noemt men surrealisme.

MET WOORDEN
Het beroemdste Spaanse boek is (*El ingenioso hidalgo*) *Don Quijote de la Mancha*, in 1605 geschreven door Miguel de Cervantes Saavedra (1547-1616). Miljoenen exemplaren zijn er wereldwijd over de toonbank gegaan.

In Spanje is een grote hoeveelheid belangrijke literatuur verschenen, van Arabische en Joodse poëzie uit de 10de eeuw tot de poëzie en toneelstukken uit de jaren '20 van de vorige eeuw van Federico García Lorca (1898-1936).

Een bekende hedendaagse schrijver is Camilo José Cela (1916-2002), aan wie in 1989 de Nobelprijs voor literatuur is toegekend. Zijn bekendste werk is *La colmena*, De bijenkorf, uit 1951.

VOLKSDANSEN EN MUZIEK

Spanjaarden zijn erg trots op hun traditionele volksmuziek, die per regio weer verschillend is. In Barcelona kun je straatmuzikanten bewonderen die een soort hobo, een hoorn, een blokfluit of een kleine trommel bespelen. Volksdansen in Madrid worden uitgevoerd op de klanken van een accordeon. Muzikanten in Baskenland bespelen een speciale hobo met drie gaten, een *txitsu*, en in Asturië dansen mensen op de muziek van een *gaita gallega*, een kleine doedelzak.

De nationale dans van Catalonië is de *sardana*, een kalme dans die waarschijnlijk zijn oorsprong kent in Griekenland.

In Gallicië wordt door de mannen nog steeds een zwaarddans uitgevoerd, op muziek die gespeeld wordt op kleine doedelzakken.

FLAMENCO!

Spanje is beroemd vanwege de eeuwenoude Andalusische *flamenco*. Bij flamenco denkt men meestal aan een dans, maar het is eigenlijk de naam van een samenspel tussen een gitarist en een zanger. Flamenco is een mengeling van verschillende muziekstijlen. De gitaar klinkt vaak erg dramatisch. Dansers bewegen op de muziek en de woorden die vrijwel altijd een triest liefdesverhaal vertellen. Veel dansers gaan naar de professionele flamenco dansscholen om deze kunstvorm te leren.

Zeg het in het Spaans
el artista – kunstenaar
la pintura – schilderij
el autor – schrijver
el libro – boek
la musica – muziek
la guitarra – gitaar
la bailada – dans

21

Flamencokoorts!

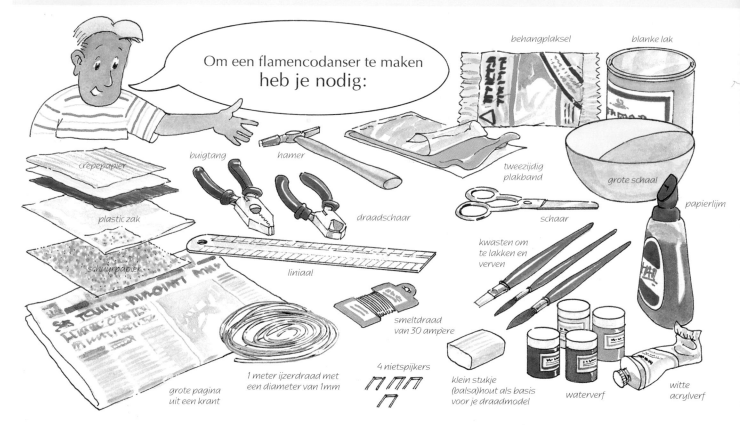

Om een flamencodanser te maken **heb je nodig:**

behangplaksel · blanke lak · crepepapier · buigtang · hamer · tweezijdig plakband · grote schaal · papierlijm · plastic zak · draadschaar · schaar · kwasten om te lakken en verven · schuurpapier · liniaal · smeltdraad van 30 ampère · grote pagina uit een krant · 1 meter ijzerdraad met een diameter van 1mm · 4 nietspijkers · klein stukje (balsa)hout als basis voor je draadmodel · waterverf · witte acrylverf

Als je de kans krijgt om flamencodansers in het echt te zien moet je goed opletten en proberen om hun manier van staan na te maken in je flamenco-pop. Je kunt natuurlijk ook een plaatje gebruiken.

! Vraag een volwassene om je te helpen!

1. Knip het ijzerdraad in drie even grote stukken. Gebruik de buigtang om de onderkant van één van deze stukjes te buigen zodat de vorm van een voet ontstaat. Bevestig de voet aan het (balsa)hout met behulp van twee nietspijkers. Pas op dat je niet in je ogen steekt met het ijzerdraad!

2. Buig de bovenkant van de draad om zodat de vorm van een hoofd ontstaat, en draai het overige deel zodat de vorm van een nek ontstaat.

3. Maak de armen door een tweede stuk ijzerdraad met de buigtang om de nek te draaien. Gebruik eventueel een stukje dubbelzijdig plakband om de armen op hun plek te houden.

4. Buig de uiteinden van de armen zodat handen ontstaan en buig vervolgens de armen in een flamenco stand.

5. Buig één uiteinde van het laatste stukje ijzerdraad zodat een voet ontstaat en bevestig deze op het (balsa)hout zoals beschreven bij punt 1.

(Zorg ervoor dat de voeten en benen in een juiste positie staan om je pop te kunnen ondersteunen.)

6. Buig het been langs de basis van je pop en bevestig het uiteinde aan de armen.

7. Knip het smeltdraad in stukken van ongeveer 15 centimeter en wind deze langs je pop waardoor deze meer vorm krijgt. Knip eventuele scherpe uiteinden af met de draadschaar.

Papier-maché maken

8. Scheur de krant in dunne stroken. Doe deze stroken in een schaal, bedek ze met heet water, en laat dit minstens 12 uur staan.

9. Giet het water uit de schaal en wring het papier zo goed mogelijk uit zodat er geen water achterblijft. Doe het papier weer in de schaal en meng het met voldoende behangplaksel zodat een sponzige pap ontstaat.

10. Strijk een laag van de pap over je pop en maak waar nodig bollingen om lichaamsvormen te maken. Doe het papier-maché dat je over houdt in een plastic zak en bewaar het op een koude, vochtige plaats.

11. Als je pop af is haal je hem voorzichtig van het (balsa)hout af door met de buigtang de nietspijkers te verwijderen. Leg je pop voorzichtig neer en bedek de voeten met papier-maché. Zorg ervoor dat de onderkant van de voeten plat is zodat je pop rechtop kan staan.

12. Laat je pop op een warme plek drogen. Dit duurt misschien wel een dag of drie. Kijk soms even bij je pop om te zien of deze nog wel rechtop kan staan. Als dit niet het geval is kun je voorzichtig de benen een beetje buigen.

13. Als je pop helemaal droog is kun je eventuele oneffenheden en gaatjes bijwerken met het bewaarde papier-maché. Wacht tot dit ook opgedroogd is en schuur dan voorzichtig de hele pop zodat hij mooi glad wordt.

14. Voordat je details gaat schilderen op je pop kun je de pop het best eerst helemaal wit maken met de acrylverf, zodat de kleuren van de krant bedekt worden.

15. Als deze onderlaag droog is kun je de details gaan schilderen. Als de verf droog is kun je de pop afwerken met een laagje blanke lak.

16. Knip een stuk crêpepapier uit zoals afgebeeld. Het gat in het midden moet precies passen om de heupen van je pop.

17. Smeer een beetje lijm op de rand van de rok en vouw er een strook crêpepapier op. Plak op dezelfde manier nog een aantal versieringen op de rok.

18. Lijm tot slot een papieren tailleband aan de rok. Lijm deze vervolgens aan je model en lijm de uiteinden van de rok vervolgens aan elkaar. Je pop is nu klaar!

Als je pop niet blijft staan kun je een stukje dubbelzijdig plakband onder de voeten plakken.

Feestdagen en festivals

Vakanties, festivals en plezier zijn in Spanje vaak verbonden met heilige feestdagen. Maar in veel dorpen en steden worden ook de oogst van graan of wijndruiven en zelfs visvangsten gevierd. Enkele van de kleurrijkste festivals in Spanje vinden plaats tijdens de Heilige Week van Pasen. De festivals zorgen altijd voor veel plezier en worden vaak gewoon op straat gevierd.

VOOR IEDEREEN EEN FEESTDAG

Algemene feestdagen zijn Kerst, Pasen en Oud en Nieuw. Op 1 mei is de viering van de Dag van de Arbeid. En er zijn nog meer nationale feestdagen, zoals Allerheiligen (1 november) en de Nationale Feestdag (12 oktober) waarop gevierd wordt dat Columbus in 1492 Amerika ontdekte. Vrijwel elk dorp heeft ook nog zijn eigen heilige die op een bepaalde dag vereerd wordt.

FEESTVIEREN

De meeste festivals worden gevierd door middel van processies (optochten), dansen en feestmalen. Eén van de twee grootste festivals is het Corpus Christi, op de tweede donderdag na Pinksteren. De andere vindt plaats tijdens Maria Hemelvaart op 15 augustus. In het zuiden van Spanje wordt deze dag gevierd met optochten met vrolijk gekleurde kostuums en standbeelden, flamenco en tafels vol *turrón*.

Stel je eens een festival voor dat 'De begrafenis van de sardine' heet! Dit festival wordt in Murcia echt gevierd aan het einde van de vastentijd. Zang, dans en processies worden gevolgd door vuurwerk en verbranding van één enkele sardine.

In Valencia viert men op 19 maart de *Fallas de San José*. Dit festival ontstond eeuwen geleden toen timmerlieden houtsnippers en houtkrullen verbrandden op de dag van Sint Jozef (timmerman). Tijdens dit feest herdacht men niet alleen de dag van deze heilige, maar werd ook het einde van de winter en het begin van de lente gevierd.

Tegenwoordig worden enorme standbeelden van was, hout en gips door de straten van de stad getrokken. Na vijf dagen van vuurwerk en feestmalen worden de standbeelden verbrand.

De beroemde *encierros*, waarbij jonge stieren door de stad worden gedreven, worden jaarlijks begin juli tijdens de feesten van San Fermín gehouden.

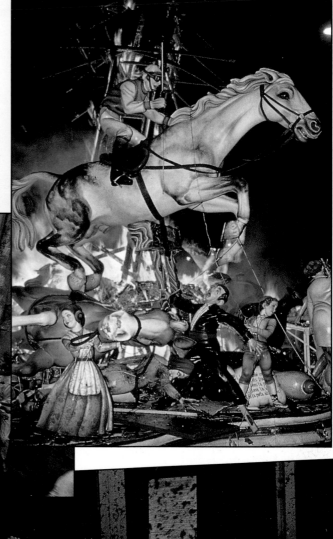

In Valencia wordt de oogst van de grote, sappige tomaten uit de regio gevierd met een festival waarbij tomaten gegooid worden.

Zeg het in het Spaans
la fiesta – feest
el toro – stier
la Natividád – Kerstmis
la Pascua – Pasen
el día del año – nieuwjaarsdag
los fuegos de artificio – vuurwerk

Geschiedenis van Spanje

Van dinosauriërs en dolmen (een soort hunebedden) tot kastelen en koningen, de rijke geschiedenis van Spanje kan in elke regio worden bewonderd.

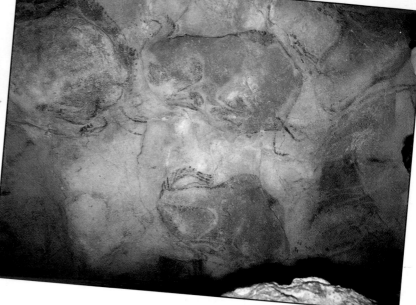

DE EERSTE IBERIËRS

De schilderingen in de Grot van Altamira zijn waarschijnlijk zo'n 12.000 jaar oud. De schilderingen zijn veelal okerkleurige afbeeldingen van dieren, vooral bizons, die veel voorkwamen op het Iberische schiereiland, dat bestaat uit Spanje en Portugal. Rond 3.000 voor Christus voegden Noord-Afrikanen zich bij de eerste Iberiërs. Deze volkeren ontwikkelden vervolgens een rijke cultuur.

DE SLAG OM SPANJE

Volkeren van overal uit Europa en het Midden-Oosten hadden door dat het Iberisch schiereiland een vruchtbaar en rijk gebied was. Bij de eerste Iberiërs voegden zich algauw Grieken, Feniciërs, Joden, Kelten en Carthagen.

ROMEINSE OVERHEERSING

In 206 v. Chr. was het machtige Romeinse leger doorgedrongen tot heel het Iberisch schiereiland. De Romeinen bouwden grote steden, en lange wegen, bruggen en aquaducten. Bovenal verspreidden zij hun taal, het Latijn, door het land. Maar het Romeinse Rijk werd te groot om het goed te kunnen besturen. De Visigoten drongen het rijk binnen vanuit het noorden, gevolgd door Arabieren uit Noord-Afrika.

IBERIË EN DE ISLAM

De Arabieren brachten een nieuw geloof met zich mee, de islam. Ze bouwden grootse steden, en schitterende moskeeën en parken. Samen met de joodse gemeenschappen ontwikkelden ze de muziek, wetenschap, wiskunde, geneeskunde en zelfs de chirurgie.

DE CHRISTELIJKE KONINGEN

Maar christenen ten noorden van het Iberisch schiereiland verdrongen de moslims geleidelijk. In 1469 werd Spanje verenigd door het huwelijk van koningin Isabella van Castilië en koning Ferdinand van Aragón. Honderd jaren lang was Spanje rijk en machtig. Maar aan het eind van de 16de eeuw raakte het land in verval. Tot in de 20ste eeuw was Spanje arm en chaotisch. Maar Spanje overleefde de Wereldoorlogen en de dictatuur, waarna koning Juan Carlos in 1975 de troon besteeg. Sindsdien is Spanje weer uitgegroeid tot een florerend democratisch koninkrijk.

Beroemde Spanjaarden

El Cid

El Cid was de grote christelijke generaal; hij veroverde in de 11de eeuw Castilië-Léon.

Christophorus Columbus

In 1492 ontdekte Columbus Amerika.

Generaal Franco

Generaal Franco was 30 jaar lang dictator van Spanje. Toen hij in 1975 stierf werd koning Juan Carlos benoemd tot zijn opvolger. Maar de koning nam niet net als Franco alle macht in handen. Hij riep op de regering te hervormen tot een moderne parlementaire democratie.

Zeg het in het Spaans
el rey – koning
la reina – koningin
la historia – geschiedenis
la batalla – strijd

Chronologisch overzicht

206 v. Chr. Iberië wordt volledig veroverd door de Romeinen

711 n. Chr. De Arabische overheersing van Spanje begint

1469 Spanje wordt verenigd in één koninkrijk door het huwelijk van Ferdinand van Aragón en Isabella van Castilië

1568-1648 Tachtigjarige Oorlog met de Nederlanden. Spanje verliest en Spanje raakt in verval

1640 Portugal wordt onafhankelijk van Spanje

1873 De Eerste Republiek wordt gevestigd door de Cortes (parlement)

1874 Einde van de Eerste Republiek

1878 Spaans-Amerikaanse oorlog, Spanje verliest

1914-1918 Eerste Wereldoorlog, Spanje blijft neutraal

1923 Generaal Primo de Rivera wordt dictator en de Cortes wordt ontbonden

1930 Primo de Rivera treedt af

1931 De Tweede Republiek wordt gevestigd

1936-1939 Spaanse Burgeroorlog, Generaal Franco wordt dictator

1939-1945 Tweede Wereldoorlog, Spanje blijft neutraal

1975 Franco sterft, de democratie wordt hersteld

1986 Spanje treedt toe tot de Europese Gemeenschap, nu Europese Unie (EU)

2002 De euro vervangt de *peseta* als betaalmiddel.

Woordenspel

Speel het woordenspel en kijk eens hoeveel van de Spaanse woorden uit dit boek je je daadwerkelijk nog herinnert! De aanwijzingen hieronder zijn bedoeld voor twee tot vier spelers, maar als je meer Spaanse woorden kent kun je natuurlijk meer kaarten maken en dus met meer spelers spelen.

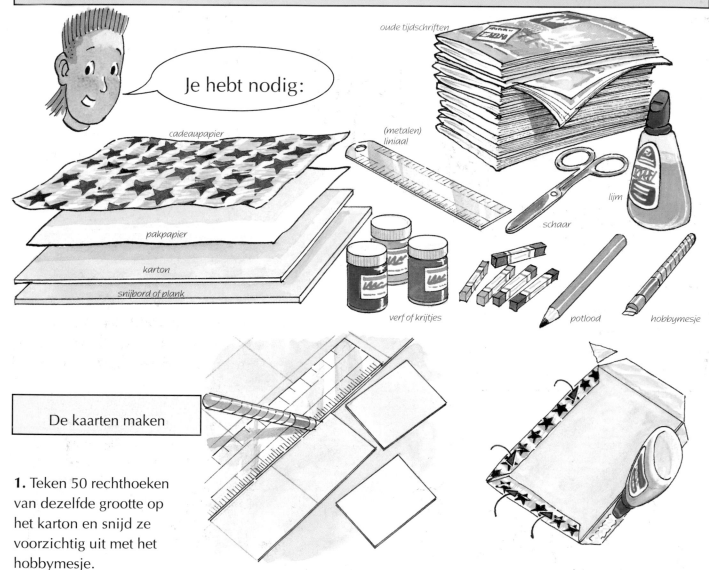

Je hebt nodig:

oude tijdschriften

cadeaupapier

(metalen) liniaal

pakpapier

karton

snijbord of plank

verf of krijtjes

schaar

lijm

potlood

hobbymesje

De kaarten maken

1. Teken 50 rechthoeken van dezelfde grootte op het karton en snijd ze voorzichtig uit met het hobbymesje.

2. Teken op het cadeaupapier nog 50 rechthoeken die ongeveer twee centimeter langer en breder zijn dan de kartonnen rechthoeken en snijd deze ook voorzichtig uit.

3. Snijd de hoeken van de papieren rechthoeken in en lijm ze op de kartonnen kaartjes.

4. Teken 25 rechthoeken die ongeveer 1 centimeter kleiner en smaller zijn dan de kartonnen kaartjes op het pakpapier en snijd ze voorzichtig uit.

5. Kies 25 Spaanse woorden uit dit boek en schrijf ze met de Nederlandse vertalingen op een lijstje. Houd deze lijst bij je terwijl je het spel speelt.

6. Zoek in de tijdschriften naar 25 plaatjes die je kan gebruiken bij de woorden die je uitgekozen hebt. Als je geen plaatjes kunt vinden bij sommige woorden kun je ook een paar extra kaartjes maken waar je de Nederlandse woorden op schrijft.

7. Plak elk plaatje of kaartje met het woord op de voorkant van één van de kaartjes. Plak op de overgebleven kaartjes de uitgesneden rechthoeken van pakpapier en schrijf hierop één van de Spaanse woorden die je uitgekozen hebt.

HET SPEL SPELEN

Het doel van het spel is om paren te maken van kaarten met woorden en de bijbehorende plaatjes.

Elke speler begint het spel met zeven kaarten. De rest van de kaarten ligt ondersteboven op een stapeltje op tafel. Als je een paar hebt leg je dit voor je op tafel. Loot wie er mag beginnen met het spel.

Vraag aan één van de andere spelers of hij/zij een kaart heeft waarmee jij een paar kan maken door de Spaanse term te noemen. Als de speler die kaart heeft moet hij/zij die aan je overhandigen en heb jij een paar dat je voor je kan leggen. Nu mag je het nog een keer proberen. Als hij/zij deze kaart niet heeft pak je een kaart van de stapel en is de volgende persoon aan de beurt.

Als je een kaart met een Spaanse term hebt moet je die kunnen vertalen naar het Nederlands. Als dat niet lukt mag je het opzoeken op de lijst maar moet je wel je beurt overslaan.

De speler die de meeste paren gemaakt heeft is de winnaar.

Register